C000226036

L'auteur
Dominique de Saint Mars

Après des études de sociologie,
elle a été journaliste à *Astrapi*.
Elle écrit des histoires
qui donnent la parole aux enfants
et traduisent leurs émotions.
Elle dit en souriant qu'elle a interviewé
au moins 100 000 enfants...
Ses deux fils, Arthur et Henri,
ont été ses premiers inspirateurs !
Prix de la Fondation pour l'Enfance.
Auteur de *On va avoir un bébé*,
Je grandis, *Les Filles et les Garçons*,
Léon a deux maisons et
Alice et Paul, copains d'école.

L'illustrateur
Serge Bloch

Cet observateur plein d'humour
et de tendresse est aussi un maître
de la mise en scène.
Tout en distillant son humour généreux
à longueur de cases, il aime faire sentir
la profondeur des sentiments.

Les Parents de Max et Lili se disputent

Série dirigée par Dominique de Saint Mars

© Calligram 1995
Tous droits réservés pour tous pays
Imprimé en Italie
ISBN : 2-88445-301-6

Ainsi va la vie

Les Parents de Max
et Lili se disputent

Dominique de Saint Mars

Serge Bloch

CALLIGRAM
CHRISTIAN GALLIMARD

9

11

12

14

15

16

17

18

19

20

21

23

24

25

26

On est désolés que vous assistiez à ces scènes parce que ce ne sont pas vos affaires !

Nous, on s'en fiche de vos disputes... Enfin non, bouh... on s'en fiche pas, bouh... on a peur !

30

Mais quand on se dispute, on dit parfois des choses qu'on ne pense pas vraiment.

Quand on se dispute, on oublie de s'aimer.

Dans un couple, ce n'est pas si facile de tout partager, de se comprendre. On n'a pas le même caractère.

On s'en veut parfois et on n'ose pas se le dire. Le danger, c'est qu'on arrive plus à se parler.

Moi, je ne me disputerai jamais, quand je serai grand, avec ma femme.

Hum, ça m'étonnerait ! On ne change pas comme ça, Max !

Bon, maintenant, allez vite vous coucher !

D'accord, on ne part plus !

Vous avez de la chance ! Allez, bonsoir !

34

36

37

38

39

40

Et toi...

Est-ce qu'il t'est arrivé la même histoire qu'à Max et Lili ?

Est-ce que cela arrive souvent ? Ne veux-tu pas
t'en mêler car ce sont des histoires de parents ?

Penses-tu que c'est mieux de se disputer
que de ne pas se parler du tout ?

Est-ce que cela se passe devant toi ? As-tu envie
de protéger l'un ou l'autre de tes parents ?

En souffres-tu ? Est-ce que cela t'inquiète ? As-tu peur
qu'ils deviennent violents, qu'ils se séparent ?

Si tu as souffert de leur violence,
en as-tu parlé à quelqu'un en qui tu as confiance ?

Trouves-tu que cela donne aux enfants
l'envie de se disputer ou bien d'être unis ?

Ont-ils très bon caractère
et s'entendent-ils toujours très bien ?

N'ont-ils aucune raison d'être énervés ?
Arrivent-ils à s'expliquer calmement ?

Est-ce qu'il leur arrive d'être tristes, de se faire
la tête ou de ne plus se parler pendant des jours ?

Penses-tu qu'ils se disputent parfois sans que tu le saches ? Préfèrerais-tu qu'il y ait moins de secret ?

Voudrais-tu qu'ils se montrent plus souvent qu'ils s'aiment ? En s'embrassant ? En s'offrant des cadeaux ?

Penses-tu que ce n'est pas si facile de vivre à deux mais qu'on peut y arriver en n'oubliant jamais de se parler ?

**Après avoir réfléchi
à ces questions
sur les disputes entre parents,
tu peux en parler
avec tes parents ou tes amis.**